神探

Detective
Bao

包青天

**③**

變臉的綁架

創作繪畫◎**余遠鍠**
故事文字◎**凌偉駿**

# 人物介紹

## 包青天

包拯，以清廉公正聞名於世，被後世稱譽為「包青天」。中國民間信仰傳其為文曲星轉世。善於觀察，長於判案，充滿威嚴，有著過人的計謀和查案能力。

## 青青姑娘

包拯之女。歌藝出色，心思細密，善解人意。為開封四大捕快所喜，然而她的芳心卻是屬意展昭。

## 公孫策

包青天的師爺，最信任的助手。尖酸刻薄，愛取笑嘲諷四大捕快。其實內心善良，恨鐵不成鋼。

## 展昭

大宋最強捕快，御前四品帶刀護衛，全國唯一一個擁有五星護甲的捕快。赤膽忠肝，深得包大人器重，更被皇上御賜「御貓」之名。本來性格豁達開朗，和藹可親，可惜經歷一次生關死劫之後，性情大變，變得沉默寡言，我行我素……

# 人物介紹

## 趙虎

開封四大捕快之一。身材魁梧，聲如洪鐘，力大無窮，擅長各門各派的功夫。性格衝動莽撞，非常重情義。

## 馬漢

開封四大捕快之一。身藏非凡的輕功，身手敏捷，靜若處子，動若脫兔，善於追捕犯人。

## 王朝

開封四大捕快之首。有著非常厲害的易容技術，經常憑此潛入敵陣，索取重要情報和破案。性格平易近人，充滿正義感。做事冷靜，傾向用計謀解決問題，不會隨便硬碰。

## 張龍

開封四大捕快之一。出水能游，入水能跳，善於水性，有一身好水功，在水中游移如靈蛇閃現，水戰中幾乎必能捉住敵人。個性自信，喜我行我素。

# 目錄

# 第一章・白雪飄腥

白雪飄飄，天下彷彿只剩下一片白茫茫。

無論**太陽**如何努力，也沒有辦法把雪溶掉。陸地上僅有的植物也被白雪和冰塊蓋住，動彈不得。世上所有東西都似乎被**凍結**，時間都被風雪凝住了，四周幾乎甚麼聲音都沒有，除了在前往開封府的路上。

有一輛馬車停了下來。

特別的是，這是一輛沒有了馬的馬車！

因為馬兒早已死掉，屍體更愕然地躺在雪地上！

是誰**狠心**殺掉馬兒？是為了截停馬車嗎？

要是這樣，本來坐在馬車上的，必然是重要的人！

往馬車前幾步看過去，竟是更可怕的景象——**白雪被一陣血腥染紅！**

而流血的正是本來坐在馬車上的人！

他們正伏在地上，**血跡斑斑**，氣喘如牛，明顯剛受到偷襲，經過一輪打鬥，已經到達無路可退的絕境——而他們的敵人，竟就是十數個戴著 戲劇面罩 的怪人！

他們正虎視眈眈，看著他們的獵物垂死掙扎。

「嘎嘎嘎……」本來坐在馬車的人身受重傷，垂死掙扎。

三人拚盡最後一口氣，一股腦兒地衝向敵人。

# 「寧死不屈！師兄弟，上呀！」

　　三人雖然有傷在身，但是**拚死一搏**，還是有點氣勢！

　　豈知，這群戴著戲劇面罩的怪人竟似乎完全無視他們，不動如山地站在雪地上！

　　「怎麼？大哥，要出手嗎？」其中一個戴著面具的怪人問道。

「哈！大哥見慣風浪，**自有分數！**」另一個面具怪客說。

那群面具怪人之中，有個風骨神采與別不同，看似是領袖，竟然在這關鍵一刻，淡淡地對著衝過來的三人說：「你們走吧！我白某平生最敬重**寧死不屈**的人，看你們也是條漢子，我們今天的恩怨，就到此為止吧！帶著活命，回家看你們的子女和家人吧……」

**出乎意料**的一句，讓本來殺氣騰騰的三人停下步來。

「甚麼？放過我們？」

三人不禁對望，質疑一番。

的確，本來打著拚死一搏的決心，希望來一個**玉石俱焚**。想不到，對方竟然突然放過自己，不用力拚也可以逃出生天，當然是最好的出路。

**轟！**

就在三人正在疑惑之際，一陣炙痛從胸口傳來，令他們面色大變——戴著戲劇面具，本來說要放過他們的面具怪人，居然踏前一步，一爪打在他們身上，不消半刻，一陣炙熱從胸口傳來！

面具怪人魔爪一伸，一下將三人經脈盡碎！

「你⋯⋯竟然⋯⋯」遺言也來不及說完,三人就已經失聲倒下。

一陣寒意無故在其他面具怪人的胸中升起,不禁打起冷顫來——不知那是一陣寒風吹過所致,還是他們被首領**出爾反爾**,難以捉摸的可怕舉動嚇怕。

「笑話!小小的一個把戲就可以把他們騙掉!」

首領一邊冷笑,一邊徐徐收起刺上了某些圖案的手掌。看著他的從容和興奮,其他面具怪人竟無半點的恐懼,似乎早已**見怪不怪**。

不一會，三人的**脈搏停了**，呼吸沒了，四周就只剩下輕輕掠過的風聲，雪地又再次回復平靜，這群戴著戲劇面罩的怪人也居然看著三條屍體，莫名地笑起來，笑聲在**空蕩蕩**的雪地更見奇怪。

「到底這三個人是誰？究竟他們做錯了甚麼事，得罪了甚麼人，以致最終慘死在雪地之上？而那班戴著面具的，又是何方神聖？他們又有甚麼陰謀呢？」

　　一切謎團都像鮮血一樣，茫然地被白雪掩蓋隱藏著。

# 第二章・大魔術師

半天之後，開封府收到消息，城郊外的雪地發生了意外，包大人馬上委派四大捕快前去查探。同一時間，他帶著女兒青青和公孫先生，少有地前往戲棚。

戲棚中一片**喜氣洋洋**，人山人海，堆滿了百姓，各式各樣的人都來了，有些本來在叫賣生果、蒸包子、說書，但全都停下手來，向戲棚走去。

原來，名滿天下的「**西域馬戲班**」到了開封表演！

本來，包大人沒有打算去看。可是，「西域馬戲班」並不是普通的馬戲班，他們曾經在御前演出，哄得皇帝**龍顏大悅**——連皇帝都要特意邀請他們到殿前表演，如今他們竟主動邀請包大人，包大人又怎可輕言推卻呢？

「爹，聽說這幾個魔術師是從絲綢之路回來，對吧？」坐在觀眾台上，等待著演出開始的青青姑娘興奮地問。

「嗯……」包大人說。

「哈！那不是跟小時候，你說要帶我去看的那個馬戲班一樣嗎？真想不到當年錯過了的，今天竟然終於有機會可以看到！」青青姑娘天真地說。

雖然，青青姑娘說得興起，包大人卻一臉木然，沒有反應，反而內心有點**戚戚然**。

因為，他想起了一段往事——一段令他**耿耿於懷**的往事……

很多年前，當青青還是小孩子的時候，包大人答允過會帶青青去看馬戲，可惜因為公務繁忙，未能抽身，最終承諾落空。

誰讓你帶胡亂青青小姐外出遊玩？如今小姐她的手腳都擦傷受損，全都是你的錯！

展昭！你真的好事多為！

展護衛！你私自帶走青青，是不是不再把本官放在眼內？

展昭挨打挨罵，但始終不發一言⋯

這不是展護衛的作風，莫非，別有內情？

「**啊！他們出來了！**」突然，群眾熱烈的歡呼聲把包大人從回憶拉回現實。

原來，魔術師終於出場了！

全場**疾聲歡呼**，將所有注意力一同投向台上的魔術師。台上共有三個魔術師，一高一矮的站在旁邊的二人，貌似助手，而中間站著的那個，似乎是二人的領袖，身材瘦削，有點**仙風道骨**的感覺。

「大家好！我們是來自西域的魔術團，我是團長唐軍，在我身邊，一高一矮的，分別是高淳和李季。多謝各位抽空捧場，更特別多謝包大人和其千金賞面，令我們今次的表演**蓬蓽生輝**！」

三人一同向包大人鞠躬之後，唐軍繼續說：「這次，我們表演幾項拿手絕活！請各位掌聲鼓勵！」

「好！」全場觀眾拍掌。

表演終於開始。

　　一高一矮的高淳和李季，各自在臉上掛上一個面具。

　　「哈！他們要表演**大戲**嗎？為甚麼無故要戴上面具？真是有趣！」青青姑娘說笑道。

　　青青姑娘看著台上的二人，簡直不敢相信他們正在表演的東西——高淳和李季不過用手一掩，他們的面具就馬上變了顏色！由紅變成黑、再由黑變成黃、再由黃變成綠……

　　「怎麼可能？」、「真的假的」、「太神奇了」在場觀眾嘖嘖稱奇。

　　面具千變萬化，彷彿只是用手一晃，就能變色轉換一樣！然而，剎那之間，將面具，甚至身上的服飾更換，幾乎是不可能的——就算

是以現代的科技幫助，要一下子換掉所有服飾，也不是易事，更何況是**數百年前**的宋朝呢？

　　因此，所有人都被高淳和李季的表演所折服，換來的，更是全場雷動的拍掌聲！

　　「哪不就是傳說中的變臉嗎？」公孫大人也不禁讚嘆起來。「太厲害！」

　　「變臉？」青青姑娘好奇地說。

　　「對！那是**四川**一帶最著名的表演，世上懂得這種戲法的大師甚少，看來他們果然是絕頂高手！」

　　正當所有人都醉心於表演時，唯包大人若有所思地說：「變臉？這可不是西域常見的魔術和戲法……」

　　正當包大人正在懷疑之際，青青姑娘沒有留心父親的說話，反而卻早已被戲棚上的表演吸引著，全情投入，不自覺吐出讚許的心聲：「實在太厲害了……」

「厲害吧？姑娘，你想看更神奇的表演嗎？如果你出來幫助我們的話，我們可以一起表演一個更**不可思議**的魔術。」遠在台上的唐軍竟然聽到青青姑娘的說話，更邀請她出來助演。

「我？真的可以嗎？」青青姑娘**受寵若驚**地問。

「當然可以，請出來。」

「爹，我一定要試一試……」瞪著眼興奮地跑向戲棚。

「呃，青青……」未待包大人回應，青青已往戲棚跑去。

魔術師**風度翩翩**地牽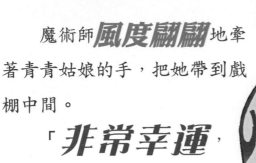著青青姑娘的手，把她帶到戲棚中間。

「***非常幸運***，我們請到包大人的千金助我們完成這個魔術。這個表演很簡單，待會兒，我們一施魔法，這位姑娘就會消失於大家眼前。是不是很期待呢？好，就請在場的各位為我們倒數三聲：三……」

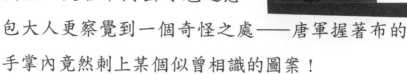

　　唐軍舉起手，向觀眾示意
倒數，笑容中閃出冷魅之意，
包大人更察覺到一個奇怪之處——唐軍握著布的
手掌內竟然刺上某個似曾相識的圖案！

　　「**不妙！**」包大人驚愕。

　　　　　　　「二……」在場的
觀眾興奮倒數。

　　　　　　　「一！」倒數的觀
眾將期待和聲量推至最
高。

## 轟！

　　一聲巨響從魔術師們和青青姑娘的位置發
出，同時竟爆出陣陣濃煙！在場所有人都被一
嚇！不一會後，濃煙散去，戲棚上的唐軍、高淳、
李季和青青姑娘竟然全都不見了！

## 台上空空如也！

　　圍觀的觀眾發現魔術師們和青青姑娘果然憑

空消失了，所有人呆掉了，完全不懂反應。

　　過了一會，有人開始拍手，觀眾才明白，表演成功了！在場眾人無不**嘖嘖稱奇**，大嘆魔術師技藝高超。百姓反應興奮，因為他們從來沒有看過如此厲害的表演。

　　讚嘆的掌聲響徹整個戲棚！

　　所有人都大力拍掌，除了包大人，他看著空蕩蕩的舞台，不禁滲出**一頭冷汗**。

　　　　包大人沒有估計錯誤，不消一會，戲棚上竟跌出一塊白色的大布！上面用紅色的墨，猶如血書般寫上：

木三，天青府封開致老日不辭，血洗開封！

三兩兩範，
兩銀就，
天青天一見無不若如，
千銀銀不就，
府一見，
封金不，
開贖，內人頭鄉歸，
致爺之留官開，
老日不辭，
血洗開封！

群眾看到這幾個字，氣氛急轉直下，由興奮變成驚慌，無不譁然！

「嘩……」

人人都緊張大叫起來，被眼前景象嚇得失了神——原來，這群魔術師並不是好人，他們竟然以魔術為餌，**引君入甕**，將青青姑娘捉走！

正確一點來說，青青姑娘被綁架了！

驚魂未定的群眾不知所措，人人都非常恐懼，一下子地將所有目光投向包大人和公孫先生。面對數百雙眼睛，包括公孫先生，都看著包大人，等待著包大人回應。

公孫先生看著包大人的神情，不禁一慄！包大人身經百戰，無論遇上甚麼案件都是談笑用兵，**處之泰然**——如今，他竟忽然皺起眉頭來！

而更**意想不到**的是，包大人居然無視群眾的目光，一言不發，轉身就走！

「甚麼？包大人竟然甚麼都不說，轉身就走，莫非……」包大人**突如其來**的沉默，令公孫先生意識到事態的嚴重！跟隨包大人多年，公孫先生從未見過包大人反應如此！

究竟包大人正在想甚麼？

雪地血案、青青姑娘被擄走——究竟，這突如其來的一切背後，藏著甚麼的**陰謀**？包大人又會如何應對？

# 第三章 · 造謠生事

　　不消半天，包青青被擄走的消息已經傳遍整個開封府，百姓人心惶惶，議論紛紛。

聽說，包大人決定不交贖金……

看他剛才的樣子，就知道他已經慌了……

那當然啦，女兒被捉走，又被匪徒威脅，萬一讓皇帝知道，隨時連官位都保不住……

你們記得嗎？匪徒說了，包大人不交贖金，隨時會連累我們……

對呀對呀！血洗開封，想起也可怕……

但是，包大人每次總會將犯人緝拿歸案，我們應信他吧……

對啊！多難的案他也能破，這次也應該一樣吧！

真是笑話！要是他有辦法看穿那班匪徒，青青姑娘就不會在眾目睽睽之下被捉走了吧……

但為我們自身的安危著想，要是包大人真的不肯交出贖金，連累我們，怎麼辦……

那很簡單呀，包大人辭官不就可以了嗎？

哼，他會辭官才算吧！

　　市集上，人人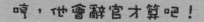，對包大人抱著兩極的態度，雖然好些百姓還是相信包大人會成功救出青青姑娘，解決一切難題。然而，同時也有不少人質疑起來。畢竟，數百眼睛看著青青姑娘被捉走，包大人沒有辦法阻止，反而轉身就逃，當下**束手無策**的形象已經深入民心。

與此同時，剛到雪地查案回到開封府的四大捕快經過市集，聽到這樣的謠言和傳聞，相互對望，深感不妙。

甚麼？青青姑娘被捉走了？

出了這樣大的事，包大人竟然沒有通知我們！

這樣不像是包大人的作風，我們暫且先不要胡亂聽信謠言。

「對，盲猜也不是辦法，我們還是快些趕回衙門找包大人問個清楚！」一向冷靜的王朝聽到心上人被綁架，也不禁有點焦急。

「嗯！」四人異口同聲地說。

# 「包大人！」

甫走進衙門，趙虎已經緊張地尋找包大人，氣沖沖地大叫，希望問個究竟。趙虎的語氣粗俗，換著是平日，王朝早已捂著趙虎的嘴，阻止他繼

續無禮，可是，今天的王朝卻沒有這樣做，因為他能理解趙虎的衝動，而他自己也身同感受。

　　心愛的人被匪徒擄走，任誰也不能冷靜下來吧！

「包大人！」

趙虎粗獷的聲音響徹衙門，迴盪四周，卻沒有得到回應。四人覺得相當奇怪，平日，包大人都會在衙門中處理公務，不論**風吹雨打**，也不會改變。今天，包大人卻不在公堂之上，到底他到了哪裡去？

　　四人不停在衙門的公堂尋找包大人的蹤影，卻遍尋不獲。

　　**「豈有此理！包大人到底去了哪？」**張龍不耐煩地說。

　　四人再走遍衙門，找了一段時間後，果然讓王朝在公堂的桌子上，找到了一張字條，上面寫著：**「見字速到地牢！」**

　　「地牢？包大人到底在幹甚麼？」趙虎仍然焦躁。

　　「不要問，我也不清楚，只管到地牢便知道。」王朝說。

　　開封的地牢，一般只是囚禁犯人的地方。如

今，女兒被擄，開封府的安危被威脅著，包大人卻沒有在衙門公堂想辦法救人，反而到了地牢去，難怪四大捕快**摸不著頭腦**。

四人沿著陰冷的樓梯，穿過黑暗的走廊，走到地牢。

可是，放眼一看，卻仍然找不到包大人的蹤影。趙虎見狀，忍不住再次**焦急**起來，大聲抱怨道：

「包大人到底在玩甚麼玩意！青青和開封正處危急存亡之際，到底躲到哪裡去！」

說罷，地牢盡處的牆壁打開了——原來牆壁背後藏有**機關**，內裡竟是一間房子！

房子裡的燭光透出，公孫先生竟然從燭光中走出來，並用一隻手指放在嘴上，示意趙虎安靜，另一隻手招他們走過來。

四大捕快見公孫先生，馬上往房子跑去，一起走進去。

原來，地牢盡頭的這間房子是一個藏經閣！
燭光之下盡是一大堆經卷和文件，統統散在地上，
加起來多達百多本，多得可以堆起一座小山！

而在這些經卷和文件旁邊，坐著的正是包大人！

「這個秘密**藏經閣**，是包大人上任之後命我整理的，這裡的經卷和文件都是由我謄寫抄下，內裡是全國上下近幾十年的犯罪記錄和驗屍報告，基本上全國上下所有記錄都在這裡。目的就是以防遇上這樣的 **危急情況** ，想不到這天終於來臨⋯⋯」公孫先生刻意壓低聲線，向四大捕快解釋。

包大人一臉專注地查閱經卷和文件，心無旁騖，專心得彷彿聽不到任何聲音，連四大捕快進來了也不察覺！與戲棚當刻的茫然相比，包大人

似乎已經重新找回理智，進入查案的最佳狀態。本來心急緊張的四大捕快看到包大人的樣子，也不敢胡亂出聲打擾。

四大捕快互相對望，彷彿在說：「怎麼辦？快開口問句吧！**時間無多**，愈遲開口，愈遲想出辦法救出青青，危機就愈大，快問吧！」

即使如此，包大人的氣場和房間的氣氛使得四人不敢開口——他們從沒有見過這個樣子的包大人，如此緊張，如此專注——的確，包大人一向辦案都是**運籌帷幄**，極少有像這樣如臨大敵！

正當四人正在猶豫應否開口之際，公孫先生突然走近，從包大人手中接過一張白紙，以銳利的目光看著四大捕快，並將畫上圖案的白紙展示予四位捕快，問：「**是不是這樣？**」

　　四人疑惑道：「是不是這樣？公孫先生你在說甚麼？」

　　「雪地裡的死者身上，是不是有這樣的傷痕？」公孫先生問。

　　圖中的傷痕，和雪地中的死者一樣，都是胸口重傷！

　　「**對……對……對呀！**公孫先生，你怎麼知道的？」張龍對公孫先生預知先機大感驚訝。

　　公孫先生**莫名其妙**地一瞥包大人，二人打個照面，然後繼續唸唸有詞：「穿心龍爪手……果然沒猜錯……」

　　「穿……穿心龍爪手？怎麼可能？」趙虎聽到這個名字，居然大吃一驚！

「怎麼了？趙虎你幹嗎整個人都在發抖？到底發生甚麼事？」王朝看到趙虎的表情，馬上知道**事有蹊蹺**。

難道，綁架青青姑娘的幕後黑手，來頭大得令趙虎也害怕？

# 第五章・青龍重生

　　「我學武的時候，聽師父說過，
有一種武功可以一爪穿心，輕易徒手將敵人的胸
口內的經脈震碎，而這種武功，正是穿心龍爪手！
但是……」趙虎猶有餘悸地說。

　　「但是甚麼？」王朝緊張地追問。

「這是不可能的……因為師父說過，這種武功早已經失傳了，怎麼會……」

「如果我告訴你，懂得這種武功的人，將要重出江湖，你會作何猜想？」

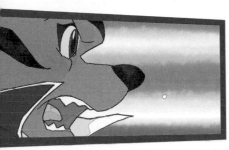

「**甚麼？**」趙虎雙眼一瞪。

「別賣關子了！快說！」馬漢緊張地說。

「三十年前，曾經有一個名震江湖的神秘幫會，源自西南一帶，多是四川人士，幫會成員以青龍為記，熟練獨門武功穿心龍爪手，橫行霸道，肆虐中原——而這個令人**聞風喪膽**的幫會，就是**青龍會**！」

四大捕快聽到這裡登時一呆。

「他們唯利是圖，不惜刺殺和殺害朝廷命官，迫使皇上下追殺令，大力追捕這群亡命之徒，最後派士兵攻陷他們的根據地青龍山莊，他們才在一夜間消失……」

「既然雪地上的死者是青龍會所殺，那麼這件事與青青姑娘被擄走是否有所關連？」四大捕快中，只有王朝仍然保持冷靜。

「你們核實過雪地中死者的身分，對吧？他們分別是**唐軍**、**高淳**和**李季**，對不對？」公孫先生說。

「對！公孫先生，你是怎麼知道的？」馬漢愕然地說。

「因為捉走青青的人，**正是他們！**」公孫先生斷言。

四大捕快被公孫先生的說話一嚇！

「甚麼？」

「有人殺了他們，**偷取了他們的身分**，神不知鬼不覺地潛入開封……」公孫先生推敲著。

「那即是說……」王朝似乎看出了一點頭緒。

「沒有錯！殺人冒名者，正是青龍會的餘孽，人稱「**白門三龍**」的白武、白犬和白屠！」公孫先生展示三張通緝令，而通緝令上的樣子，正是當日在戲棚表演的三人！

「**三千萬兩？**」趙虎看著通緝令大吃一驚。「當捕快如此多年，我從沒看過這麼多的懸紅金額！」

「官府發出如此**鉅額的懸紅**，為的是希望利誘江湖人士將他們捉住，但是過了這麼多年，懸紅仍然沒有人拿到。要不，江湖上沒有人敢招惹他們，要不就是有膽碰他們的人……」

「……都被他們全殺掉了！」平日膽子最大的趙虎竟然不禁**顫抖**起來。

「包大人，那到底我們應如何是好？總不能坐以待斃吧！」王朝問。

公孫先生一瞥包大人，包大人沒有回應。公孫先生見狀，開始仔細地分析形勢，彷彿是包大人的代言人一樣：

「敵人不惜以身犯險綁架青青，卻只索價一千兩，明顯他們此舉並不是為錢，此其一；」

「其二，捉走青青姑娘，明顯是希望令我們陣腳大亂，引誘我們心急犯錯；」

「其三，要捉走青青姑娘，以他們的身手，可以有很多種方法……

但他們偏偏選取最**明目張膽**的做法，目的就是要讓開封府所有人都看到整件事的發生，令百姓產生**恐慌**！而且，他們更刻意聲明如果包大人不肯就範，交出贖金或者辭官，就會血洗開封，分明是希望製造群眾壓力，脅迫包大人，另有所圖……剛才你們一路趕來的時候，群眾是不是已經議論紛紛？」

　　「嗯……整個開封府的百姓都在說，包大人為了保住權位，不惜以女兒的性命和開封府的安危作**賭注**……」張龍不好意思地回答。

　　「事情發生了不足半天，謠言已經傳遍整個開封。看來，對手已經一早部署。這樣我們便更加可以肯定，青龍會這次的陰謀絕不簡單……」公孫先生仔細地分析著。

　　就在公孫先生**唸唸有詞**，若有所思的時候，包大人終於開口！

「馬上將它寄出，**不容有失！**快！」

　　說罷，包大人拿起一個大大的印章，在信上印上一個紅色記號，然後就將信件遞予公孫先生。原來，包大人一直沉默不語，就是在寫信！

　　公孫先生一接過信件，**不敢怠慢**，竟馬上急步離開，似要趕快將信寄出——包大人和公孫先生的舉動令四大捕快非常好奇到底信的內容寫了甚麼、寄給何人。

　　衝動的趙虎繼續口沒遮攔：「包大人！這樣算是甚麼意思？我們替你著急，你卻不把部署告訴我們，還當我們是開封衙門的一分子嗎？」

　　包大人回應：「你們很緊張嗎？」

　　「**當然！**」趙虎想也不想就說。

「緊張有用嗎？緊張就可以救出青青了嗎？」

「呃⋯⋯」被包大人如此反詰，趙虎語塞。

「三天限期完結之前，我必會找出應對之策，屆時本官定有任務交予你們，你們不必著急。你們暫且專注於**日常的公務**上，其他安排，本官自有打算。」

趙虎無計可施，忽然一拳打向石牆！石牆馬上露出裂痕！

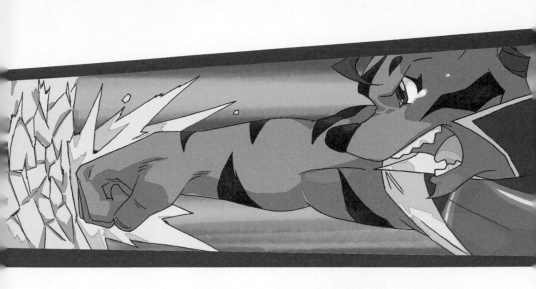

「記住，今次的對手不是等閒之輩，沒有本官的命令，你們千萬不要**輕舉妄動**……」

說罷，包大人轉身離開了藏經閣。只剩下四大捕快在藏經閣內，燭火微微閃動，彷彿把他們搖擺不定的**忐忑不安**映照在牆上。

「豈有此理，明知青青姑娘有事，我們卻甚麼都做不了！」

「但青龍會來頭不小，包大人這樣做必定有他的原因，我們儘管相信他吧...」王朝自知無計可施，唯有相信包大人。

四大捕快吹熄藏經閣的燭光，慢慢地沿著黑暗的走廊，陰冷的樓梯，走回地面——雖然，他們眼前盡是陽光，但是心中仍然埋著沉重的陰霾，為青青姑娘的生危，默默地擔心著。

# 第六章・他一個人

正當四大捕快正在擔心之際，一隻白鴿正在藍天上飛翔。

**凜冽**的冷風沒有阻擋牠的去路，由出發那刻開始，牠已經不知飛了多少里路。然而，牠卻不知疲倦，因為牠知道，纏在牠腳上的，是一個**重要的信息**——這個信息，關係著一條性命，和一個城市的安危。

牠一直拚命地飛，直到飛至竹林附近的大瀑布。

瀑布下，隱約看到一個人影，而這個人竟然正在打坐。瀑布**高聳入雲**，由底下看上去，幾乎不見頂。在如此的一個瀑布下打坐，承受來自水流的衝擊力何止千百斤。

加上天氣之冷，如果不是有一流的武功，根本無法在這樣的環境中修煉，能承受一切痛楚和刺冷的人，絕對不是凡人。

很明顯的是，此人絕非**平庸之輩**！

瀑布湧下的聲音和沖擊力，無礙他靈敏的感知能力，閉著眼的他竟然似有默契地知道信鴿來臨。他徐徐走出瀑布。

「師父出來了！」

原來，瀑布外一早有幾個小孩子在等待這個人，他們歡樂愉快地撲向他。一看到小孩子跑過來，在他身上流露出來的**殺氣**竟然一下子全消掉！

「師父！今天我們吃甚麼？」

「我要吃炒蛋！」

「少囉嗦！師父昨天不是已經為你煮了炒蛋嗎？師父，別聽他說，今天我們要吃蒸豆腐！」

小孩子擁擠到他身旁，甚至騎上了他的肩膀，

狀甚親暱。

「你們真是呢！明明向我拜師，怎知到頭來，每一餐都是我煮，天下間哪有師父侍奉徒弟這麼便宜的事？」

他瞇著眼說笑，露出和藹可親的笑容，然後躍然一跳，接過信鴿腳中的信封。

「哎呀！師父你煮的東西那麼好吃，橫豎這裡有一隻鴿子，倒不如，今天我們……」正當孩子們覬覦著信鴿，希望可以大快朵頤之際……

他的**眼神突然大變**——孩子們都察覺到這個轉變，以為說錯了話，於是馬上閉上嘴巴來，殊不知道，信內的內容才是真正令他皺眉的原因。

他毅然走向竹林內的小屋，小孩子紛紛跟著。

屋內窗明几淨，**極其簡樸**。他走到一個大櫃之前，將之打開，並拿出一個箱子。箱子內，有幾件似乎是很久沒有穿著的制服，和一塊灰色的大布。他把灰色大布拉出，一把長而秀氣的寶劍躍然而出。劍鞘上，隱隱刻著「巨闕」二字。

根據史書記載，中國古代鑄劍鼻祖歐冶子為**越王勾踐**鑄造了五把青銅寶劍：湛盧、純鈞、勝邪、魚腸、巨闕。據說巨闕為越五劍中最鋒利的一把，銅錫鑄成，傳說只有具有靈氣的英雄豪傑，才可以真正運用此劍，否則它會變得沉重萬分，常人根本難以拿起。

他輕鬆捧著巨闕，毫不費力。

然而，在他的眼中，竟隱隱看出半點哀傷。

在他凝視著劍的同時，小孩子們壓著嗓子，傻氣地問：「師父，我們說錯了甚麼嗎？是因為我們說要吃乳鴿嗎？」

「傻孩子，師父沒有責怪你們。只是師父將要離開這裡，去兌現一個 **重要的諾言**。我離開的這段時間，拜託你們替我做一件事。」

「是甚麼事？」

他指著屋內的桌子上的一個靈位，靈位上寫著「**義兄 歐陽春**」，淡然說：「請你們替師父上香，可以嗎？」

「當然可以，但師父，這個人是誰？」

小孩子**童言無忌**的提問，無意間令他憶起哀傷之情。

「他，是一個真正的英雄。他的事，就拜託你們了。」他摸摸小孩子的頭。

「嗯……那麼，師父你會回來嗎？」孩子們擔心他**一去不回**，紛

紛流起淚來。

「傻孩子……」他溫柔地笑說。

說罷，他就把寶劍帶上，不徐不疾地離開屋子。孩子們哭著送別。他沒有回頭，只是他抬頭一看，觸景生情，唸唸有詞：「*少年俠氣，交結五都雄。肝膽洞，毛髮聳。立談中，死生同。一諾千金重。*」

唸罷，他揮起寶劍，耍出凌厲的劍法，劍影在竹林閃現，竹葉翩翩四飛，就在葉子飛舞的剎那，他一躍而起，轉眼消失在竹影之中。

# 第七章・來者不善？

「還是沒有消息嗎？」

公堂內，四大捕快躊躇不止，想盡快救出青青姑娘，但可惜苦無方向，不知如何是好。時間在俯仰之間流逝。還有不到五個時辰，青龍會立下的限期就要到了，但是包大人仍然沒有命令下來，實在令他們煩上加煩。

然而，正當他們苦惱之際，衙門門外傳來陣陣馬蹄聲。

「誰會在這個時候來開封打擾我們，還嫌我們不夠煩嗎？」馬漢鼓譟地走向大門看個究竟。

衙門大門一開，馬漢登時呆了。

一個身穿官服，**氣派不凡**的人徐徐地從馬車走下——從這個人的裝扮判斷，似乎來頭不小，官位應該比包大人還要高！

「本官是吏部的陳永，收到消息，開封府遇上難題，何故包拯大人不上報朝廷？」

「呃……」王朝等人一時間不知如何作答。

突然，陳永看著王朝等人的**窘態**，輕輕一笑，然後從懷裡拿出三張通緝令——「白門三龍」的樣子躍然紙上！

「這次的事情，本官已略有所聞，三位疑犯的位置也早被我查出，請馬上帶我去見包拯大人！」

聽到這個消息，四大捕快無不雀躍——看來，救出青青姑娘的**關鍵線索**已經找到，救出青青姑娘，解救開封，指日可待！

# 第八章 · 鴻門宴

　　衙門內，四大捕快、公孫先生和包大人坐在桌子一邊，桌子的另一邊，剛是**從容不迫**的陳永。

　　「好久不見了，包大人。想不到，過了這麼多年，你還是如此**獨斷獨行**。」陳永雖然笑著說話，但眼神之間，卻看得出是不懷好意。

　　「陳大人，時間無多，恕在下無禮，這可不是寒暄的時候，請你盡快將青青姑娘的下落告訴我們！」趙虎心急如焚，也顧不得禮儀。

陳永不屑地一瞥趙虎，然後**目光銳利**地盯著包大人說：「想不到，包拯大人你的下屬和你一樣，一樣無禮和高傲。」

　　王朝聽得出，陳永的說話充滿敵意，馬上示意趙虎不要再多說話。

　　「陳大人，你想怎麼樣？千里迢迢來到開封，不是打算**寒暄**而已吧。」包大人回應道。

　　「當年，皇上在你和我之間選擇，最後選了你成為開封府的府尹。如今，包大人你的女兒被綁架，開封府的安危受威脅，作為開封府府尹的首選，怎麼今次這樣失算呢？哈哈！」

哈哈！

接著，陳永信心滿滿拿出一幅地圖，說：「我知道，包大人你已經呆坐在衙門兩天，仍然沒有任何行動，定必是茫無頭緒吧！哈哈！不要緊，我和你都是大宋的臣子，知道你有難，我又怎會**見死不救**？我早已經派人查出包青青被收藏的位置，如果包大人不嫌棄的話，請笑納……」

　　陳永句句 **口蜜腹劍**，包大人知道他背後必有企圖。

　　果然，包大人一瞥陳永拿著地圖的手，竟忽然發現他的手背上，居然布滿大量凸出的青筋！

　　包大人忽然**靈光一閃**，神態大轉，由雙目由本來的低沉，變得炯炯有神，嘴上更掛起微笑，似乎發現了甚麼線索似的！

「不過，如果大人失手，本官隨時會奏請皇上，取而代之，替你好好照顧開封的百姓！哈哈哈哈哈！」陳永自以為是地說。

　　「**哈哈！** 陳大人有心了，但是只怕陳大人你的心思要白費了！」

　　「說甚麼笑話？你連自己的女兒被捉到哪裡也不知道，如今竟還在口硬？」

　　「三天限期只過了兩天，你又怎知道本官沒有辦法？看來，陳大人辦案的經驗始終有點幼嫩，如果要由你來照顧開封府的百姓，我擔心還是未夠料子……」

　　「你……你……哼！你少神氣！我就看你能神氣多久！」說罷，陳永便拋下地圖，憤而離去。

　　陳永離開衙門後，包大人志在必得地說：「**項莊舞劍，志在沛公！** 果然沒有猜錯！」

「包大人，此話何解？」王朝好奇地說。

「我一直在等，就是要確定一件事。現在，我已經知道了整件事的**來龍去脈**。他們的目標，不單是青青。只要我們按兵不動，明天自會有人救出青青，把她帶回衙門。」包大人一臉輕鬆，似乎心中有數，知道一切盡在自己掌握之中。

「目標不是青青姑娘？說甚麼笑啊包大人？你緊張得傻了嗎？剩下不足數個時辰，你竟然要我們**按兵不動**？你瘋了嗎？」趙虎粗魯無禮地說。

「說甚麼怪話？除了我們，還有誰會去拯救青青姑娘？」馬漢也緊張和憤怒得面紅耳赤。

「對呀！包大人你究竟在胡說甚麼？」張龍也按捺不住情緒，非常激動地說。

「本來，本官想來想去，也想不通為甚麼青龍會要**勞師動眾**地捉走青青。如今，陳永的到訪，反而令我有點眉目。」包大人**唸唸有詞**。

「此話何解呢包大人？」王朝問。

終於有線索了！快出發拯救青青姑娘！

通常太易得到的線索都是假的⋯

不！

「說來話長，現在我要和公孫大人出去一趟，總之你們不要輕舉妄動，五個時辰後，所有問題定當**迎刃而解**。」

說罷，包大人便與公孫先生，帶同幾名衙差，匆匆離去。

衙門內，只剩下四大捕快。

「有人會出手救走青青姑娘！說甚麼鬼話？難道我們真的要眼白白看著青青姑娘遭殃嗎？」

**「有甚麼事比營救青青姑娘要緊！包大人竟然連親生女兒也不顧！」**

不要輕舉妄動！

「你們在這裡說這些話有何用？就算我們要出手，也無從入手，根本我們連青青姑娘被藏在哪裡都不知道……」

雖然趙虎、張龍和馬漢三人正**怒氣沖沖**，你一言我一語地痛斥包大人，唯獨王朝沒有說話，因為他早就被公堂中的一件物件所吸引——陳永留下的地圖！

包大人竟不小心把陳永奉上的地圖遺下了！

王朝拾起桌上的地圖，似有默契地向趙虎等人打個照面，四人**不約而同**地點頭。

難道……

# 第九章 · 一諾千金

身在幽暗處的青青，又再想起跟展昭的往事……

「展大哥，如果你如今還在的話，快點來救我，好嗎？」

青青閉上眼，腦海中浮現了多年前**身陷險境**的回憶。

那年，青青姑娘因為包大人沒有時間帶她去看馬戲，竟偷偷與朋友走到山上玩耍，怎知竟遇上大堆**惡狼**。惡狼虎視眈眈，青青姑娘已嚇得大哭！

就在野狼**利齒噬至**的時候……

原來，當年展昭並沒有偷偷帶青青姑娘去看馬戲，反而是在青青偷走闖禍的一剎救了她，結果還被包大人和公孫先生錯怪。

　　想到這裡，青青姑娘的淚又再流下來。淚水滴下，打在污穢不堪的地上——陰暗的房子裡，被囚禁著的青青姑娘自怨自艾，再次想起當年連累展昭的往事。

　　「這次又是貪玩累事⋯⋯但是，這次沒有了展大哥，我真的能逃出生天嗎？」看著限期愈來愈近，青青姑娘也不禁擔心起來。

　　突然，門縫外有光透進來。

　　「難道，是展大哥來救我嗎？」

可惜，青青姑娘的**期望落空**——進來的人不是展昭，而是一切的幕後黑手，白武！

白武走近青青姑娘，**粗暴**地掐著她的頸，說：「真可憐！還有不到一陣子，限期就到了！到時候，你的父親不但會失去他的乖女兒，更會烏紗不保！**哈哈哈哈哈！**」

「你少妄想！阿爹一定有方法捉住你的！」

「你阿爹？哈哈哈？他早就已經慌得六神無主，這兩天，他從來沒有離開過衙門，證明他根

本沒有頭緒，查不出我們收藏你的位置！我見他**漠無頭緒**的樣子這麼可憐，早已派我們的內應陳永把一張地圖留了給他。不過，那張地圖上標示的位置，並不是這裡，而是一個滿佈陷阱的地方。根據我的探子回報，就在一個時辰前，四大捕快已經出發前往那個地方！幾個時辰之後，我將會在那裡把他們**殺死**！到時候，這四個眼中釘將會葬身雪地！那麼，害死下屬的罪名將會降在你阿爹的身上，想到這裡……**哈哈哈哈哈！**真有夠興奮！」

# 第十章·誤闖龍潭

　　數個時辰之後。

　　開封府的郊外，仍是白雪紛飛，冰湖的旁邊有一座偌大的**鍊金廠**。鍊金廠外貌殘舊，似是荒廢已久。

　　而鍊金廠外，正有幾個黑影閃動！

　　「是這裡嗎？」

　　「如果地圖上的情報沒有錯，應該就是這裡了。」

　　竊竊私語的聲音從山坡的暗處傳出。原來，
四大捕快偷走了包大人遺下在公堂的**地圖**，正
準備私下行動，希望可以救出青青姑娘。

　　然而，他們卻不知道，他們正一步一步地墮
進陳永和青龍會的**圈套**！

　　哼哈兩聲，四人像**蜻蜓點水**一樣，用輕
功跳進荒廢了的鍊金廠內！

鍊金廠內**一片狼藉**，地上有吃過的東西，明顯有人匿藏在這裡。因此，四人高興地交換眼神，因為他們確信已經找到了敵人的陣地。加上，已經是夜深，他們估計敵人猜不到他們會在此時突襲，所以應早已入睡——在如此優勢下，只要他們找到青青姑娘，他們再動手對付敵人，必會殺對手一個**措手不及**！

　　果然，他們看到一陣火光在工廠內的最遠處傳來！更重要的是，他們在火光的倒射下，見到一個拉長了的影子，從影子的形狀看來，似是一個女孩的影子，被綁在椅子上。

　　青青姑娘！那影子必然是屬於**青青姑娘**！

　　於是，四大捕快全速奔往火光處，希望馬上救出青青姑娘。

　　豈料，當他們推開掩著的薄布一看，被綁在椅子的，竟只是一棵大樹！

　　隨之而來，更是一陣腳步聲！四大捕快回頭一看，竟發現屋外已是一眾面具怪人！

　　「原來四大捕快只不過是沒有腦袋的笨蛋！」想不到，四大捕快已經中了圈套，被白門三龍和青龍會的手下重重包圍！

「看來，以你們的資質，根本用不著讓大哥出手！就讓我們收拾你們幾個**笨蛋捕快**吧！看招！」說罷，白門三龍中的二弟白屠和三弟白犬立馬領著一眾手下衝向四大捕快！

十多個面具怪人來勢洶洶地殺至！四大捕快有默契地對望後，合力擺出架勢，力抗眾人的攻擊！

「小心他們的龍爪手！姓白的兩兄弟就交給我，你們先解決那些嘍囉吧！」趙虎英武地指揮戰鬥，畢竟他可是四大捕快中武功最好的一個。

「好！」王朝、馬漢和張龍齊聲回應，似乎一點也沒有因為**以寡敵眾**而有半點驚慌。

縱然，青龍會人多勢眾，但四大捕快始終不是**省油的燈**，憑著多年來的默契，四大捕快竟然與青龍會的十多個惡漢打成均勢，不落下風！

白屠和白犬雖然都通曉**穿心龍爪手**，但是始終功力還未到家。他們二人使勁襲向趙虎，結果只是徒勞無功，招式全被趙虎以剛勁有力的虎形拳擋下。

　　另一邊廂，王朝、馬漢和張龍使盡渾身解數，一下子就把其他青龍會的手下打倒。接著，三人便加入戰團，幫助趙虎對白屠和白犬──情勢一下子逆轉！青龍會的普通手下全倒下，只剩下白屠和白犬血戰四大捕快！

　　趙虎一喝，使出最強招數，運勁連環出拳，終於連白屠和白犬都狠狠地打倒在地上！

　　「哼！現在誰是**笨蛋**？」打倒眾人的趙虎驕傲地說。

　　「快把青青姑娘交出來！」王朝厲聲喝道。

原來，剛才眾人酣戰之際，白門三龍中的老大白武竟然只是作壁上觀，倖倖然地看著雪地上眾人拳來腳往，自得其樂，一直沒有出手！

「哈！原來你們最厲害都只是這樣而已？

單憑這樣的功夫就想救回你們的青青姑娘？笑話！」在所有同伴都被打倒之後，白武竟然仍不慌不忙，詭異地笑了出來。

「讓你們見識一下真正的穿心龍爪手吧！」

說罷，白武便從高而至，直飛殺向四大捕快，動作快得**令人吃驚**！

四大捕快來不及招架，已經被打倒地上——身經百戰的四大捕快從未如此狼狽過，在白武面前，他們竟顯得如此**不堪一擊**！

「我一直以為，你們四大捕快會痛痛快快地

跟我來一場決鬥。誰知道，要對付你們，竟然是如此容易！哈哈哈哈哈！你們知道嗎？只要把你們殺掉，就可以突出包拯的不濟，迫他下台，計劃就**大功告成**！」

原來，引誘四大捕快闖龍潭救人，竟是青龍會計劃的一部分！

「計劃？」王朝當頭棒喝。

「沒有錯！本來，我們打算設局引誘你們前來，再讓陳永救走你們領功，那麼，陳永就可以**名正言順**以包拯無力控制下屬為理由，向朝廷告狀，那麼他就可以取代包拯，而開封府就可以成為我們青龍會培植勢力的地方。」白武詭譎地說。

陳永竟然也是你們的人？

趙虎大感愕然。

「不過，現在不用了搞這麼多了！四條捕快的屍體也足以迫包拯下台了！」白武淡然地說。

「甚麼？」張龍說。

「你剛才不是很**神氣**的嗎？」白武運勁並走近趙虎，一手扯起趙虎，身受重傷的趙虎無力

反抗，眼見另一隻手**來勢洶洶**，似乎將要一爪襲向自己！

就在這千鈞一髮之際——趙虎眼前竟然有一隻手，擋住了白屠的龍爪！

更令人意想不到的是，這隻手上，竟掛著一個既陌生，又熟悉，彷彿只是傳說的信物。

# 五星令牌！

## 第十一章 · 御貓屠龍

　　這隻不知從何而來的手，擋住了白屠的魔

爪！

　　「該收手了！」

　　「要是我不收，你又奈我甚麼何？」

　　「哼！」

說罷，神秘之手發力一扭，白武的龍爪手竟被扭斷，整個人在凌空打了一個轉，傷重倒地，奄奄一息！

「敢問高手何名？」白武抹著嘴角鮮血問。

「**御前四品帶刀護衛**，展昭，封號『御貓』！」展昭冷冷然說。

「豈有此理！貓又豈敵得過龍？看我必殺的龍爪手！」白武**重整旗鼓**，憤然使盡全力殺向展昭！

龍爪手來勢洶洶擊向展昭左邊的空檔位置，爪如飛龍，直殺向展昭左胸，形成必殺之勢。

豈料，展昭早有準備，閃身變身一避。腳未落地，左手已從背後揪出巨闕寶劍，順勢乘虛而入。厲害的是，劍未出鞘，敲在白武出爪的右手，**咔嘞**一聲，白武的右手已被打斷。

正當白武大呼痛苦之際，展昭出肘一震，白武已被打飛十呎之外，撞向牆壁倒下！

「哼！」被打傷的白武仍不放棄，忽然一按手中的機關。

突然，百千發暗箭從高處飛至！

箭如雨下，白武以為必然可以殺死展昭，豈知展昭竟然拿著巨闕寶劍在 **箭海** 中飛舞！舞動之間，暗箭全被展昀擋下，無法傷及他的分毫！

「豈有此理！」白武吐出鮮血後，明顯身受重傷，**氣若游絲**，根本沒有還擊之力。展昭徐徐地把巨闕收回劍鞘，木無表情地走向白武。

就在這個時候，白武用盡最後一口氣，乘機偷襲展昭！展昭**冷不防**白武有此一著，竟被白武的龍爪手打個正著！

龍爪手攔在展昭胸前，展昭似乎必死無疑——白武偷襲成功，不是應該很高興嗎？怎麼會在這個時候展出出**愕然**的神情？

因為，中了爪的展昭竟然絲毫不損！

「我早已運勁，以內功聚於胸前，以你的功力，傷不了我！」原來，展昭早有準備！

說罷，展昭更以內功發勁，將龍爪手的力量反彈到白武身上！

「啊！」

白武大叫一聲，內力的反彈令白武自食其果，反過來中了重傷，甚至**經脈盡斷**！

「哼！展昭你這個好事之徒，你以為你打敗我們就可以救出包拯的女兒嗎？呸！太遲了，就算我要死，我也要她陪葬！*哈哈哈哈哈！*」重傷倒地的白武口硬地說。

的確，就算展昭馬上殺掉白武，也始終未能救出青青姑娘。究竟，青青姑娘**身在何方**？難道，真的如白武所說，青青姑娘這次必定九死一生？

一直因為受了重傷而倒在地上的四大捕快也如此地想。

「沒有辦法了吧？哈哈哈！求我吧！展昭！或者，我會放你的青青姑娘一條生路。」

白武死到臨頭也囂張不減，因為他相信，只要有青青姑娘這個**籌碼**在他的手中，任憑展昭多屬害也沒他奈何。

**「沒有辦法？那又未必……」**

這把聲音，怎麼如此**熟悉**？

四大捕快回頭一起看——包大人徐徐步近，更把手高舉在空中，與展昭來一記充滿默契的擊掌。

更重要的是，數步之遙外，公孫先生帶著青青姑娘出現！

青青姑娘**完好無缺**，原來早已被救出重圍！

而跟著他們背後的，更是被幾位衙差押著的陳永！

青青姑娘一見展昭，竟然哭起來，更不停地拍打展昭，說：「你怎麼不早一點來？你**不守諾言**！你騙人！你知道我剛才有多害怕嗎？嗚嗚嗚……」

展昭看著撒嬌的青青姑娘，一時間不知如應對，只是輕輕地說：「你現在不是沒有事嗎？我沒有忘記**承諾**——有我在，誰也不能傷害你！」

「**原來你沒有忘記！**」青青姑娘忽然感動起來，並明白到，原來展昭並沒有忘記諾言，只是按照包大人的計劃行事，一切也是為了救出自己。

看到如此一幕，四大捕快簡直**不是味兒**。

「不⋯⋯不可能！怎麼會這樣？」

白武大失所算，完全不敢相信眼前的事實，自己精心策劃的陰謀，竟全被擊破。

「**狡兔三窟**，其實包大人和我早已猜到你們會有兩個大本營。果然給我查出你們將青青姑娘囚禁於離這裡不遠的山洞之中。由於山洞離這裡不遠，如果我貿然闖入山洞，你們隨時可以增援，並利用山洞的地理環境，把我困在洞中。這本來是一條妙計，可惜你們太心急⋯⋯」展昭解釋說。

包大人接著說：「青龍會想捲土重來，可惜勢力和人數大不如前，所以必須找一個根據點，慢慢培育勢力。而最有效的方法，就是把本官弄下台，然後安排自己的內應進入開封府當官，暗中以官府的資源培植勢力，將開封府變成新的青龍山莊。而**野心勃勃**的陳永，剛好與你們一

拍即合。」

「因此，你們一開始如此**明目張膽**捉走我的女兒，又製造群眾壓力，就是為了迫我做錯決定。如果我按條件給贖金你們，或者是自行辭官，都會給藉口和機會陳永這個內應，向皇上告狀，要求取代我的官位。」

「可是，包大人早已看穿你們，所以包大人故意**按兵不動**，讓你們心急起來⋯⋯」公孫先生說。

「本來，你以為捉走了包某的女兒，就會令本官方寸大亂，可是本官早已知道你們的奸計，故意不做任何事情。果然，你們發現如意算盤敲不響，陳永反而心急起來，前來刺探，更刻意留下**假線索**，布下陷阱，想引本官和四大捕快前來救走青青。」

說到這裡，包大人走近陳永，扯下他的衣袖，清楚露出如龍一樣的**青筋**。

　　「可惜，陳永到來的時候，本官刻意裝作落泊，讓陳永大意，得意忘形之際露出手上的青筋——但凡吸食青龍會的毒品，手上都必會有此記號，所以本官當刻已經確認他是你們的細作。而且也猜到，你們會在這裡布下**天羅地網**，任憑四大捕快身手多好，也只會被你們捉住。到時候，只要陳永拿著本官為了救女兒而害死下屬這個罪名，就足以把本官迫走。不過，念在你們如此有心思，設下這麼多計謀，本官決定將計就計，讓四大捕快陷入你的圈套……」

　　「甚麼？我們中計也竟是計劃的一部分？」四大捕快登時不知**如何反應**，既氣結，又慚愧。

　　「不過，沒有你們的魯莽，青龍會也不會中計，青青姑娘的營救也不會這樣容易……」

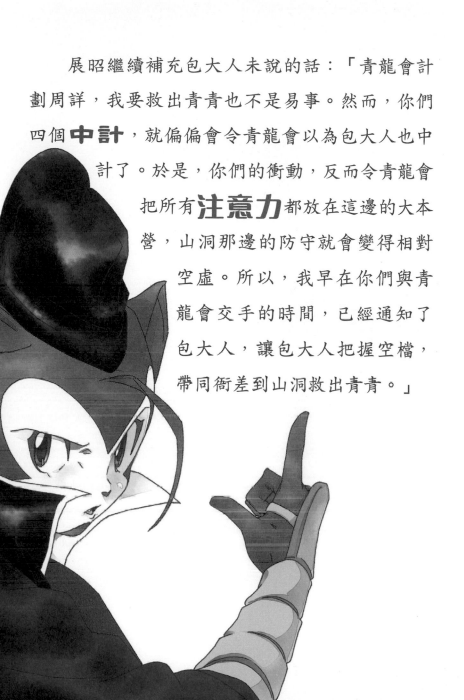

展昭繼續補充包大人未說的話：「青龍會計劃周詳，我要救出青青也不是易事。然而，你們四個**中計**，就偏偏會令青龍會以為包大人也中計了。於是，你們的衝動，反而令青龍會把所有**注意力**都放在這邊的大本營，山洞那邊的防守就會變得相對空虛。所以，我早在你們與青龍會交手的時間，已經通知了包大人，讓包大人把握空檔，帶同衙差到山洞救出青青。」

# 「哈哈哈哈哈哈哈！」

白武雖見一切已經事敗，但竟仍繼續張狂，說：「包拯果然名不虛傳，敗在你們手中，我無話可說。不過，即使我死了，還有千千萬萬條青龍，青龍會不滅，總有一天，他們必定會回來向你們報仇……」

說罷，白武竟然運起身上最後一道勁，用掌打向自己**自殺**。

青龍會的陰謀終於暫時告一段落，開封府的危機，和青青姑娘的安危也被解救。展昭作為擁有最大功勞的人，竟然在這個時刻向包大人道別！

「包大人，**危機已除**，下屬也許應該要……」展昭對著包大人恭敬地說。

「要回去了嗎？包某深知展護衛重情，但是，開封府的事……」

「包大人請放心！前事一了，展某必會盡快歸隊。」

「君子一言⋯⋯」

「快馬一鞭！」

包拯就在這個時候，

將一個包袱拋向展昭，

展昭似有默契地牢牢接住。

「路上小心！」包大人拋過包袱後，情深義重地說。

「展大哥⋯⋯」

同一時間，青青姑娘知道展昭將要離去，**依依不捨**地看著展昭。四大捕快眼見心上人如此情深地看著另一個人，當然滿心醋勁。

　　但在這個時候，展昭竟然走近四大捕快，看似是友善地將他們扶起，不料他完全沒有這個意思，反而用冰冷的目光瞪著他們，出乎意料地教訓四人：

　　**「下盤輕浮！拳重卻太慢！中門空虛！眼快手慢！**你們各有弱點，而且是致命的強點⋯⋯這樣的質素，還未足以成為最好的捕快！你們四人，如果在我下次回來之前，未能解決這些問題，你們不配做我下屬！」

　　說罷，展昭頭也不回就以輕功瀟灑飛走。

　　中了敵人之計、在心上人跟前醜態百出，最後更被展昭揶揄，四大捕快登時氣上心頭。

　　「哎呀呀！口氣竟如此大，他以為自己是誰？」

　　「在我們面前，世上竟有如此囂張的人！」

　　「哼！我才不要做他的下屬！」

　　「要不是我們受了傷……」

　　四大捕快一時間無地自容，也相當不忿，氣得面色大變，相當惹笑。

「**哈哈哈哈哈！**」公孫先生看到展昭教訓四大捕快後，忍不住大笑。「我勸你們就不要再抵賴了！他可是全國唯一的一個五星捕快啊！哈哈哈哈！」

看到四大捕快的**窘相**，包大人也不禁笑著說：

「回衙門吧！我們還有很多公務要好好處理。」

包大人回頭離開，青青姑娘隨之，似乎完全沒有把四大捕快看在眼內。四大捕快於是馬上緊隨著青青姑娘。

「青青姑娘，你聽我解釋，其實今次我們也……」

走在前頭的包大人聽到四大捕快向青青姑娘解釋的窘態和狼狽，也不禁**微微偷笑**起來。

# 第十三章・眼光獨到

一個月之後。

「哼！那隻臭貓少神氣！」

「下次他回來，我們必要給一點顏色他看！」

「他只不過是好運而已……」

公堂之內，四大捕快一邊痛罵展昭，一邊鍛鍊武功，流得滿頭大汗——四大捕快對當日被展昭教訓還是意氣難平，深深不忿。

同一時間，青青姑娘、公孫先生和包大人正在不遠處偷看四人訓練。

「真是可愛，嘴裡不服，心還是按著展護衛的教訓，針對性地鍛鍊和改進自己的不足。」

「這也是一件好事，多一點良性競爭，對他們自身，和開封府的治安也有正面影響。」

「青青，是時候了。」

「嗯！知道了！」

說罷，青青姑娘帶著一批裝備走到四大捕快跟前，說：「你們快試試它們吧……」

四大捕快馬上**喜上眉梢**，說：「這些，都是你為我們特製的嗎？青青姑娘，你真有我們的心！」

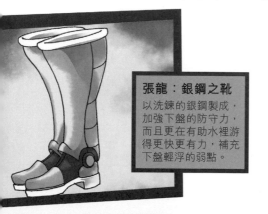

張龍：銀鋼之靴
以洗鍊的銀鋼製成，加強下盤的防守力，而且更在有助水裡游得更快更有力，補充下盤輕浮的弱點。

趙虎：玄武玉腕
加強手腕力量，使用者不需要費盡全力也可以使出一樣的威力，令出拳速度更快，臂力更強，更敏捷。

王朝：酒泉指環
配戴於手指上，可發射飛箭，宜作遠距離攻擊，適合視力驚人但拳腳攻擊不強的人使用，將視力過人的優勢盡情發揮。

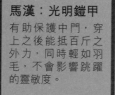

馬漢：光明鎧甲
有助保護中門，穿上之後能抵百斤之外力，同時輕如羽毛，不會影響跳躍的靈敏度。

青青姑娘瞇起眼微笑，沒有回答。

四大捕快知道心上人為自己特製了裝備，巴不得馬上把裝備穿上身上，展示出**最英偉**的一面。

看見他們把裝備都穿上，青青姑娘才徐徐開口：「你們啊，要多謝**展大哥**，阿爹根據他當日的說話，針對你們各人的弱點，特製了這些裝備，以提升你們的能力。」

聽到展昭的名字，四人馬上熱情冷卻。本以為青青姑娘為自己特製武器，到頭來原來也是展昭的好事。

「哼！有多厲害？」

「我才不需要這些東西。」

「旁門左道！」

王朝、馬漢、張龍換上了專屬自己的裝備後，雖說覺得**相當有用**，但礙於面子，始終不肯表示讚譽。正當王朝、馬漢、張龍在努力想辦法不承認展昭眼光的同時，不遠處突然傳來一陣偌大的破裂聲！

公堂的牆壁竟然被趙虎一下子打得碎裂。

王朝、馬漢、張龍以為趙虎因為嫉妒展昭而打牆發洩的時候，趙虎竟然傻傻望著他們說：

　　「嘩！有了這個純鋼拳套，連牆壁都可以輕易粉碎！**那個甚麼展昭**，原來也是挺有眼光的！嘻嘻！」

　　「哼！你何時跟他成為了好友啊？趙虎！」其餘三人不約而同地看著趙虎說。

　　趙虎摸著頭，一時之間不知如何回應。青青姑娘見狀，也不禁**掩嘴而笑**。

　　「我一定會努力練功，趕過你！展昭，你少神氣！」王朝看到趙虎的窘相，忍不住在心裡對自己說。

　　「**乞嗤！**」正在趕路的展昭突然打起噴嚏來，心想：「難道有人在說我的壞話？」

　　就在這個時候，他忽然想起臨走前包大人送給他的包袱，打開一看——內裡竟放著幾個包子，而包子竟然與當年青青姑娘送給他的一模一樣。

他看著包大人送給自己的包子，微微一笑，並想起青青姑娘的說話：「你的付出和努力，雖然不是**所有人**都看到，但有心的，必定會知道。」

「啊！原來包大人早就知道了當年的事。」展昭回想起當年，起初包大人雖然有責怪自己丟失青青姑娘，但到後來就沒有追究下去。如今，看到眼前的包子，他才明白，原來青青姑娘當年送給自己的包子，都是由包大人炮製的。

包大人早就看出**端倪**，知道自己有所苦衷，所以，一直也沒有把失職的事放在心裡。也因為這樣，包大人始終相信展昭。

難怪，這次青青被擄走之後，包大人可以這麼鎮定——因為他對展昭的信任，**始終沒有被動搖**。

「包大人果然心思細密。」展昭一邊敬佩著包大人，一邊把包子放到嘴裡，愉快地笑起來。

與此同時，在一個黑暗的地牢裡，一群帶著面具的人向「**白門三龍**」的神主牌拜祭，氣氛陰森而凝重。

一把可怕的聲音，詭秘地說：「看著吧，包拯，總有一天，我們青龍會會回來向你報仇，要你付出十倍代價。」

## 原來，一切還未完結。

如白武臨死前所說，青龍會仍然未滅，背後還有更大的惡勢力將會回到開封——究竟，將來開封又會遇到甚麼危機？包大人能否再次轉危為機呢？

【完】

# 包包 文史哲教室

## 馬戲不是只存於西方嗎?

別以為馬戲是西方世界才有的東西,其實早在中國古代已有記載。中國西漢時期,桓寬《鹽鐵論》已有「馬戲斗虎」的記載。當時的馬戲主要是由絲綢之路傳入,一般指包括有特技、受訓過的動物、小丑、魔術及其他雜技的表演,以娛樂觀眾為目的。而到了唐代,因為與西域接觸日繁,更多馬戲表演如「透劍門伎」(即是表演者乘著小馬,奔騰跳躍,飄忽而過)紛紛傳入。而且古代不少皇帝也喜歡馬戲,甚至親自研究,比如明朝的正德皇帝和南北朝南齊皇帝蕭寶卷更是馬戲的愛好者呢。

## 四川的變臉大法?

一下子變面具變色更換是否天方夜譚?當然不是。變臉不但真實存在,而且是一種源自於川劇的藝術,也是中國著名的國粹。「變臉」最神奇之處,在於短時間內變出多款面譜。川劇的演員運用「變臉」絕活,能不換場就變出五種臉相,不管喜、怒、哀、樂、或是驚訝、憂傷都可以在一剎那間變化出來,使得演員能夠將劇中人物的內心起伏,藉由臉相的轉變,表現得更為淋漓盡致。如果加上換場,川劇演員更可以再增加七到八個臉相來,增加戲劇的張力和震撼性。

## 秘密會社

今次的故事中,提及到一個名叫青龍會的幫會,歷史上當然沒有這樣的一個幫會。但是,在中國歷史和文學上,真正叱吒風雲的秘密幫會和會社卻有不少,而且它們更曾為社會帶來極大的影響。比如,就在北宋時期,曾經有一次大型的民間起義——方臘起義,這次的民變正是一個秘密宗教組織所發起。而這次的起義前後僅歷時半年而已,但數月間連破六州五十二縣,殺死平民二百萬人。由此可見,秘密會社的力量絕對不容小覷,說不定青龍會還會在日後的日子為包大人帶來其他挑戰和麻煩。

## 今期收錄的詩詞

「項莊舞劍,志在沛公」
記得嗎?包大人在見過陳永之後,便說出了這句話。這句說話其實是出此西漢·司馬遷《史記·項羽本紀》:「今者項莊拔劍舞,其意常在沛公也。」

### 解說

意思是比喻說話和行動的真實意圖別有所指。在楚漢相爭的時候,西楚霸王項羽率40萬大軍開往咸陽,被劉邦的守軍擋住。項伯請劉邦到鴻門赴宴。劉邦到鴻門後,項羽設計讓項莊舞劍,表面上是助興,實際意在乘機殺掉劉邦。於是後人就用「項莊舞劍,志在沛公」這句說話,來解釋別有用心的企圖。正如陳永和青龍會一樣,表面上是綁架青青姑娘,實則上是借此威脅包大人,故此包大人發現他們的企圖後便說他們是「項莊舞劍,志在沛公」。

# 今期收錄的詩詞

六州歌頭・少年俠氣

少年俠氣，交結五都雄。肝膽洞。毛髮聳。立談中。死生同。一諾千金重。推翹勇。矜豪縱。輕蓋擁。聯飛鞚。斗城東。轟飲酒壚，春色浮寒甕。吸海垂虹。閒呼鷹嗾犬，白羽摘雕弓。狡穴俄空。樂匆匆。似黃粱夢。辭丹鳳。明月共。漾孤篷。官冗從。懷倥傯。落塵籠。簿書叢。鶡弁如雲眾。供粗用。忽奇功。笳鼓動。漁陽弄。思悲翁。不請長纓，系取天驕種。劍吼西風。恨登山臨水，手寄七絃桐。目送歸鴻。

## 注釋

① 六州歌頭：詞牌名。

② 少年俠氣，交結五都雄：化用李白"結髮未識事，所交盡豪雄"及李益"俠氣五都少"詩句。五都：泛指北宋的各大城市。

③ 一諾千金：喻一言既出，駟馬難追，諾言極為可靠。語出《史記・季布列傳》引楚人諺曰："得黃金百斤，不如得季布一諾。"

④ 蓋：車蓋，代指車。

⑤ 飛：飛馳的馬。鞚：有嚼口的馬絡頭。

⑥ 鬥城：漢長安故城，這裡借指汴京。

⑦ 嗾：指使犬的聲音。

⑧ 冗從：散職侍從官。

⑨ 倥傯：事多、繁忙。

⑩ 鶡弁：本義指武將的官帽，指武官。

⑪ 笳鼓：都是軍樂器。

⑫ 漁陽：安祿山起兵叛亂之地。此指侵擾北宋的少數民族發動了戰爭。

⑬ 七弦桐：即七弦琴。桐木是制琴的最佳材料，故以"桐"代"琴"。

## 解說

在第五章，展昭離開竹林時唸起一段詞：「少年俠氣，交結五都雄。肝膽洞，毛髮聳。立談中，死生同。一諾千金重。」這段其實是來自宋代詞人賀鑄的《六州歌頭・少年俠氣》的上片。內容講述作者追憶自己在少年時度過的俠義生活。而展昭之所以在這個時候唸起這段詞，正因為想起一諾千金重的承諾，也憶起當年與義兄的少年往事而感慨起來——到底展昭的義兄是誰？他們之間又發生了甚麼事？若知後事如何，且要待之後的故事分曉。

# 今期收錄的成語

# 今期收錄的成語

| 成語 | 釋義 | 頁數 |
|---|---|---|
| 龍顏大悅 | 龍顏：皇帝的樣子，形容皇帝非常高興。 | p. 14 |
| 耿耿於懷 | 不能忘懷，牽縈於心 | p. 16 |
| 不發一言 | 一句話也不說。暗示有自己的想法或見解。 | p. 17 |
| 仙風道骨 | 骨：氣概。仙人的風度，道長的氣概。形容人的風骨神采與眾不同。 | p. 21 |
| 蓬蓽生輝 | 蓬蓽：編蓬草、荊竹為門，形容窮苦人家。使寒門增添光輝（多用作賓客來到家裏，或贈送可以張掛的字畫等物的客套話）。 | p. 21 |
| 拿手絕活 | 最擅長的技藝、本領。 | p. 21 |
| 若有所思 | 若：好像。好像在思考著什麼。 | p. 23 |
| 受寵若驚 | 寵：寵愛。因為得到寵愛或賞識而又高興，又不安。 | p. 24 |
| 風度翩翩 | 風度：風采氣度，指美好的舉止姿態；翩翩：文雅的樣子。舉止文雅優美。 | p. 25 |
| 嘖嘖稱奇 | 咂嘴作聲，表示驚奇、讚嘆。 | p. 25 |

# 今期收錄的成語

| 成語 | 釋義 | 頁數 |
|---|---|---|
| 口蜜腹劍 | 口蜜：嘴上說得很甜。腹劍：肚子裡卻懷著害人的壞主意。形容人陰險。 | p. 70 |
| 炯炯有神 | 炯炯：明亮的樣子。形容人的眼睛發亮，很有精神。 | p. 71 |
| 來龍去脈 | 本指山脈的走勢和去向。現比喻一件事的前因後果。 | p. 72 |
| 按兵不動 | 按：止住。使軍隊暫不行動。現也比喻暫不開展工作。 | p. 72 |
| 勞師動眾 | 勞：疲勞，辛苦；師、眾：軍隊；動：出動，動員。原指出動大批軍隊，現指動用很多人力。 | p. 73 |
| 迎刃而解 | 原意是說，劈竹子時，頭上幾節一破開，下面的順著刀口自己就裂開了。比喻處理事情、解決問題很順利。 | p. 74 |
| 自怨自艾 | 怨：怨恨，悔恨；艾：割草，比喻改正錯誤。原意是悔恨自己的錯誤，自己改正。現在只指悔恨自己的錯誤。 | p. 80 |
| 烏紗不保 | 烏紗帽是古代官員所戴的帽子，因此「烏紗（帽）不保」，就是「官位不保」的意思。 | p. 82 |
| 一片狼藉 | 形容亂七八糟，雜亂不堪，困厄、窘迫；又指多而散亂堆積或比喻行為不檢，名聲不好。 | p. 86 |
| 無地自容 | 有地方可以讓自己容身。形容非常羞愧。 | p. 115 |

# 下回預告

## 【第四期】包公審烏盆

開封府奇案不絕。這次包大人連同各同伴面對亡靈申冤，亡靈何以附在烏盆上？公堂上烏盆飛舞？不喜歡鬼神之說的包大人會否幫亡靈申訴？

經已出版！

超人氣畫家 **余遠鍠** ✕ 鬼才作家 **陳四月**
攜手開創「**吸血新新新世紀**」!!!

# ·我的· 吸血鬼同學

vol.1-10+番外篇　經已出版

# 新派校園推理輕小說

**適合讀者群：高小至初中**

作者·卡特 繪畫·魂魂SOUL

# 推理七公主

## Vol.1-Vol.6 經已出版

創造館童書

創造館童書系列

# 本地實力作家
# 屬於香港小朋

時間證明一切，口碑銷量俱佳。

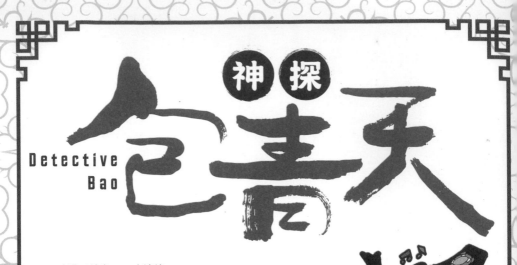

# 神探 包青天

Detective Bao

| | |
|---|---|
| 創作 / 繪畫 | 余遠鍠 |
| 故事 / 文字 | 凌偉駿 |
| 創作 / 監製 | 余　兒 |
| 封面設計 | faminik |
| 內文設計 | siuhung |
| 編輯 | 小尾 |
| 校對 | 萍 |
| 出版 | 創造館 |
| | CREATION CABIN LTD. |
| 地址 | 荃灣美環街 1-6 號時貿中心 6 樓 4 室 |
| 查詢電話 | 3158 0918 |
| 發行 | 泛華發行代理有限公司 |
| | 香港新界將軍澳工業邨駿昌街七號二樓 |
| 印刷 | 高科技印刷集團有限公司 |
| 出版日期 | 第一版　2017 年 6 月 |
| | 第三版　2021 年 8 月 |
| ISBN | 978-988-79820-3-6 |
| 定價 | $68 |

本故事之所有內容及人物純屬虛構，
如有雷同，實屬巧合。